Ta książeczka należy do:

Skarbczyk trzylatka

Skarbczyk

Zbiór opowiadań, bajek i rymowanek

trzylatka

Tytuł oryginału: A Treasury for Three Year Olds
Pomysł: Peter Lawson
Ilustracje: Bill Bolton
Tekst: Betty Root
Tłumaczenie: Janusz Onufrowicz

ISBN 978-83-274-1495-3

Firma Księgarska Olesiejuk
Spółka z ograniczoną odpowiedzialnością Sp.j
05-850 Ożarów Mazowiecki
ul. Poznańska 91
wydawnictwo@olesiejuk.pl
www.wydawnictwo-olesiejuk.pl

Dystrybucja: www.olesiejuk.pl

Druk: Drukarnia Perfekt S.A.

Spis treści

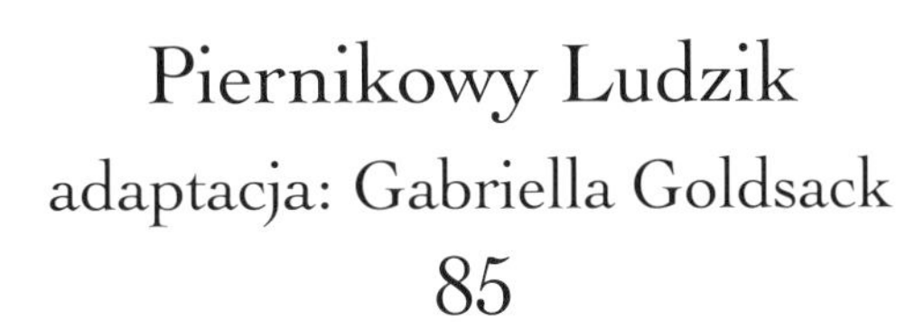

Brzydkie kaczątko

To był piękny letni ranek. Mama Kaczka od wielu dni wysiadywała w gnieździe jajka. Już nieco zmęczona, podniosła się na moment, żeby jeszcze raz je policzyć.

– Kwa, kwa – zakwakała. – Jedno z nich jest naprawdę duże. Na pewno wykluje się z niego wielki, silny kaczor.

Zadowolona, usiadła znowu w gnieździe.

Nagle w ciszy letniego poranka rozległo się głośne:

KR . . . AK!

Jajka wreszcie zaczęły pękać! Jedno po drugim wykluwały się z nich żółte kaczątka i wkrótce Mama Kaczka miała czworo ślicznych puszystych dzieci. W gnieździe zostało tylko największe jajo.

Mama Kaczka usiadła na nim i w końcu jej cierpliwość została nagrodzona, skorupka pękła. Jednak kaczątko, które się z niej wykluło, było wielkie, szare i w ogóle nie przypominało swoich braci i sióstr.

„Hmmm – pomyślała Mama Kaczka – może to nie jest kaczątko? Zabiorę je nad wodę i sprawdzę to".

Zaraz potem zawołała swoje dzieci i rzekła:

– Chodźcie za mną. Coś wam pokażę.

Raz, dwa, trzy, cztery, pięć... Kaczątka pobiegły za nią ochoczo.

PLUSK! Mama Kaczka wskoczyła do wody.

– Kwa! Kwa! – zawołała i kaczątka wskoczyły za nią do rzeki. Wszystkie, łącznie z tym szarym i brzydkim, potrafiły pływać.

PLUSK!

Po tej próbie Mama Kaczka postanowiła przedstawić swoje dzieci innym kaczkom z podwórka.

– Teraz, moje małe – powiedziała cicho – ukłońcie się i powiedzcie grzecznie „kwa" Kaczce Babci.

Maluchy zrobiły, co im kazano. Ale gdy inne kaczki zobaczyły dziwne szare kaczę, zaczęły się głośno z niego naśmiewać.

– Nigdy nie widziałam czegoś tak paskudnego – powiedziała jedna.

– Co to jest? – zapytała inna.

– Podejdź tutaj – rzekła Kaczka Babcia do Mamy Kaczki. – Niech się przyjrzę twoim dzieciom. Hmm! Wszystkie są śliczne, z wyjątkiem tego szarego...

– Może jest brzydkie – odparła Mama Kaczka – ale pływa całkiem nieźle.

– No cóż, szkoda, szkoda... – westchnęła Kaczka Babcia.

Cztery żółte kaczątka szybko stały się ulubieńcami podwórka, a brzydkie kaczątko, wciąż wyśmiewane, było coraz smutniejsze i coraz bardziej samotne, bo nikt nie chciał się z nim bawić.

Któregoś dnia zrozpaczone kaczątko postanowiło uciec i z dala od domu szukać przyjaciół. Poszło nad rzekę, wskoczyło do wody i zaczęło płynąć tak szybko, jak tylko potrafiło – byle dalej od podwórka, od Mamy Kaczki i czterech ślicznych żółtych kaczątek.

Wkrótce spotkało dwie dzikie gęsi.

– Jesteś takie brzydkie – śmiały się gęsi – ale lubimy cię. Może polecisz z nami?

Brzydkie kaczątko nie mogło jednak z nimi odlecieć, bo nie umiało jeszcze dobrze fruwać.

Kaczątko znowu zostało samo. Szło i szło przed siebie, aż dotarło do chatki, w której mieszkała staruszka z kotem i kurą.

– Miau, miau! – zamiauczał kot na widok malca.

– Ko, ko! – zagdakała kura.

– Co, co? – spytała staruszka. – Wygląda na to, że będziemy jeść od teraz kacze jajka. – I pozwoliła zostać brzydkiemu kaczątku w swojej chatce.

Ale zazdrosne zwierzęta szybko zaczęły mu dokuczać.

– Umiesz znosić jajka tak jak ja? – pytała kura.

– Nie – odpowiadało kaczątko.

– Umiesz mruczeć jak ja? – pytał kot.

– Nie – zaprzeczało kaczątko coraz smutniejsze.

– Nie dość, że brzydkie, to jeszcze się do niczego nie nadaje! – wołali kot i kura.

Brzydkie kaczątko wróciło więc nad rzekę i zaczęło żyć samotnie. Tymczasem nadeszła zima i chwycił mróz. Kaczątko bardzo marzło i było coraz słabsze. Przed zamarznięciem uratował je pewien rolnik, który znalazł biedactwo w śniegu i zaniósł do domu. Jego dzieci próbowały bawić się z malcem, ale kaczątko myślało, że chcą mu dokuczyć i wskoczyło do bańki z mlekiem, rozlewając je po całej podłodze.

– Ach! – krzyknęła, widząc to, żona rolnika.

Na szczęście drzwi były otwarte, więc przerażone kaczątko wybiegło na zewnątrz i znowu wróciło nad rzekę.

Gdy w końcu nadeszła wiosna, szczęśliwe, zamachało skrzydłami i wzbiło się w niebo. W dole zobaczyło ogród z wielkim jeziorem pośrodku. Po jeziorze pływało kilka łabędzi. „Są takie piękne, może uda mi się z nimi zaprzyjaźnić" – pomyślało brzydkie kaczątko.

Wylądowało na wodzie niedaleko dostojnych ptaków, które od razu ruszyły w jego stronę. Kaczątko pochyliło głowę, spodziewając się, że je zaatakują.

I wtedy dostrzegło swoje odbicie w wodzie. Nie mogło uwierzyć w to, co zobaczyło. Nie było już brzydkim kaczątkiem, ale pięknym białym łabędziem.

Gdy inne łabędzie otoczyły je, zaciekawione, nad jeziorem pojawiła się grupka roześmianych dzieci.

– Patrzcie, na jeziorze jest nowy łabędź! – zawołało jedno z nich. – To najpiękniejszy ptak, jakiego widziałem.

I wtedy inne łabędzie pokłoniły się przed nowym przyjacielem. Nigdy w życiu brzydkie kaczątko nie było tak szczęśliwe!

Tere-fere, baju, baj

Tere-fere, baju, baj,
Kot na skrzypcach koncert dał.
Krowa skacze do księżyca,
Talerz z łyżką sobie kica...
Tere-fere, baju, baj.

Pięcioro kaczątek

Pięcioro kaczątek poszło popływać nad rzeczkę
I wszystkie się cieszyły na taką wycieczkę.
Kacza mama kwakała: „Kwa, kwa, kwa”,
Bo tylko cztery kaczuszki wróciły pod koniec dnia.

Czworo kaczątek poszło popływać nad rzeczkę
I wszystkie się cieszyły na taką wycieczkę.
Kacza mama kwakała: „Kwa, kwa, kwa”,
Bo tylko trzy kaczuszki wróciły pod koniec dnia.

Troje kaczątek poszło popływać nad rzeczkę
I wszystkie się cieszyły na taką wycieczkę.
Kacza mama kwakała: „Kwa, kwa, kwa",
Bo tylko dwie kaczuszki wróciły pod koniec dnia.

Dwoje kaczątek poszło popływać nad rzeczkę
I bardzo się cieszyło na taką wycieczkę.
Kacza mama kwakała: „Kwa, kwa, kwa",
Bo tylko jedno z nich wróciło pod koniec dnia.

Jedno kaczątko poszło popływać nad rzeczkę
I bardzo się cieszyło na taką wycieczkę.
Kacza mama kwakała: „Kwa, kwa, kwa",
Bo pięć małych kaczuszek wróciło pod koniec dnia.

Nie ustąpimy!

To był bardzo gorący dzień w bardzo gorącym kraju. Chłodno było tylko w niewielkim jeziorku, gdy się zanurzyło w wodzie. Ale ponieważ od dawna nie padał deszcz, wody w nim było niewiele. Mogła w niej przebywać naraz tylko jedna grupa zwierząt. Zwierzęta zdecydowały więc, że będą się zmieniać. Tego dnia nadeszła kolej na hipopotamy, ale okazało się, że hipopotamy nie chcą nikomu ustąpić miejsca!

– Jest nam tu tak dobrze i chłodno – mówiły, zadowolone.

– Ale prosiiiiiimy! – jęczały znużone upałem sępy. – Prosiiiiiimy tylko o kawałek miejsca!

Hipopotamy odpowiadały:

– Nie ustąpimy! Co to, to nie!

Sępy próbowały więc dziobać je swoimi ostrymi dziobami, żeby dać im nauczkę. Ale hipopotamy mają grubą skórę, więc nic nie czuły.

– Prosssssssimy! – syczały węże, wijąc się przy brzegu. – Prossssimy tylko o skrawek miejsca w chłodnej wodzie!

Ale hipopotamy niezmiennie odpowiadały:

– Nie ustąpimy!

Węże oplotły się wokół ich nóg i próbowały wyciągnąć je z wody siłą. Ale hipopotamy są duże i ciężkie, więc wysiłki węży spełzły na niczym. Jezioro nadal należało do samolubnych hipopotamów.

– Prosiii-iihii-my! – rżały spocone zebry, mając nadzieję na odrobinę ochłody. – Prosiii-iihii-my!

Niewzruszone hipopotamy odpowiadały wciąż tak samo!

Zebry ryły więc kopytami ziemię, próbując je przestraszyć. Ale hipopotamy są z natury harde i wcale się nie zlękły. Zadowolone, brodziły w wodzie i powtarzały:

– Nie ustąpimy!

Słońce grzało coraz mocniej i coraz więcej zwierząt przychodziło nad jezioro. Stały na brzegu dookoła i spoglądały na brodzące w wodzie samolubne hipopotamy. Ale hipopotamy nie zamierzały ustąpić miejsca nawet antylopom, które pomagały im odpędzać brzęczące muchy, machając zwinnymi ogonami. Dzisiaj te zadowolone hipopotamy stojące w chłodnej wodzie nie zamierzały ustąpić miejsca NIKOMU!

Nagle z gęstwiny dobiegło niepokojące dudnienie. Przerażone antylopy, zebry, węże i sępy popędziły, pogalopowały, powiły się i odleciały, byle dalej stąd. A każde ucho każdego hipopotama zadrgało i nasłuchiwało dziwnych miarowych odgłosów: DUUM! DUUM! DUUM! DUUM!

Hipopotamy podniosły się, zaniepokojone. Ich oczy rozszerzyły się, silne nogi zadrżały, a po grubej skórze przeszły dreszcze...

– Na pomoc! – zawołał cichutko najmniejszy hipcio.

– Nie ustąpimy – wyszeptał największy hipopotam już znacznie mniej pewnie.

Zapanowała cisza. Dźwięk wydawała tylko dudniąca chmura kurzu, która zbliżała się do jeziora...

– USTĄPIMY! – zawołały nagle wszystkie hipopotamy chórem i uciekły.

Dudniąca chmura pyłu była właściwie wielkim stadem spragnionych słoni, którym na dodatek było bardzo gorąco. Nic nie mogło ich powstrzymać przed ochłodzeniem się w wodzie.

– Aaach! – westchnęły słonie, trąbiąc z zadowolenia, gdy już weszły do jeziora.

A wszystkie zwierzęta (z wyjątkiem hipopotamów) zbliżyły się i przyglądały się im z zazdrością.

– Jedno jest pewne – zawołały spocone sępy – te zadowolone słonie też nikomu nie ustąpią miejsca.

Ale wbrew pozorom słonie, widząc znużone upałem sępy, węże, i antylopy, zaczęły odliczać:

– I raz... i dwa... i trzy... i...

Zaraz potem wciągnęły w swoje długie, giętkie trąby wodę, podniosły je, wycelowały i opryskały nią wszystkie zwierzęta wokoło.

– Aaach! – westchnęły antylopy.

– Aaach! – zarżały zadowolone zebry.

– Aaach! – zasyczały węże.

– Aaach! – zaskrzeczały sępy.

– Aaaaach! – westchnęły hipopotamy, które obserwowały wszystko z daleka. One też chciały być tak opryskane! Powoli, powolutku, nawet nie zdając sobie sprawy z tego, co robią, hipopotamy zaczęły wracać nad jezioro.

Ale, jak wiadomo, miejsca w nim było dość tylko dla jednej grupy zwierząt. Teraz w wodzie chłodziły się słonie.

– NIE USTĄPIMY! – zawołały, widząc zbliżające się hipopotamy.

– Prooooooosimy! Prooosimy o kawałeczek miejsca! – błagały hipopotamy.

– Nie ma mowy! – zatrąbiły słonie. – To kara za wasz egoizm.

– Hurra! – zawołały chórem antylopy, węże, zebry i sępy. Wszystkie dobrze pamiętały, że hipopotamy nie ustąpiły im miejsca.

Hipopotamy więc, mimo że słońce niemiłosiernie paliło im skórę, odeszły z opuszczonymi głowami. Słonie spoglądały za nimi dłuższą chwilę i zrobiło im się ich żal... Zaczęły odliczać:

– I raz... i dwa... i trzy... i...

A zaraz potem wciągnęły wodę w swoje długie, giętkie trąby, podniosły je, wycelowały i prysnęły nią na hipopotamy.

– Aaaaaaaach! – westchnęły zadowolone hipopotamy.

I jedno było pewne... nikt nie zamierzał się stamtąd ruszać.

Aaaaaach!

Stary niedźwiedź

Stary niedźwiedź mocno śpi,
Stary niedźwiedź mocno śpi,
My się go boimy, na palcach chodzimy.
Jak się zbudzi to nas zje,
Jak się zbudzi to nas zje.
Pierwsza godzina – niedźwiedź śpi,
Druga godzina – niedźwiedź chrapie,
Trzecia godzina – niedźwiedź łapie!

Ta mała świnka

Ta mała świnka poszła do sadu,
Ta mała świnka na łące stała,
Ta mała świnka nie chce obiadu,
A ta na obiad nic nie dostała.
I właśnie ona w drodze do domu:
„Kwik, kwik, kwik, kwik”
Płacze po kryjomu.

Pajączek chwat

Mały pajączek chwat
Po rynnie szedł raz, dwa.
Gdy z nieba lunął deszcz,
Pajączek z rynny spadł.
Lecz zaraz wyszło słonko
I pająk wyschnął w mig.
Znów się po rynnie wspina
I raz, i dwa, i trzy.

Hubert, samotny krokodyl

Krokodyl Hubert był bardzo samotny. Wyglądało na to, że wszystkie inne zwierzęta w dżungli mają mnóstwo braci, sióstr albo przyjaciół. Wszyscy bawią się razem przez cały dzień, biegają, pływają, śmieją się i wspinają po drzewach.

Hubert przyglądał się im i głęboko wzdychał. Nikt nie proponował mu, by przyłączył się do wspólnej zabawy. W końcu Hubert zapytał mamę, czy mógłby mieć brata, z którym by się bawił.

– Och, synku – powiedziała mama – jestem zbyt zajęta doglądaniem tych wszystkich jajek, żeby myśleć teraz o czymkolwiek innym. Nie przeszkadzaj mi! I proszę cię, nie rób takiej nieszczęśliwej miny! Spójrz, jaki piękny dzień mamy dzisiaj.

Ale Hubert był innego zdania. Odchodząc, usłyszał jeszcze głos mamy:

– I uważaj na ogon! O mało co nie strąciłeś nim wszystkich jajek ze skarpy do wody!

Smutny Hubert wybrał się na spacer wzdłuż brzegu rzeki. Po chwili zobaczył leopardzicę Laurę drzemiącą w promieniach słońca.

– Lauro – zagadnął ją Hubert – jak myślisz, czy któryś z twoich braci mógłby być też moim młodszym bratem?

– Nie! – powiedziała Laura. – Za bardzo boją się twoich zębów, żeby się z tobą bawić. A oprócz tego mama właśnie teraz myje im futerka.

Potem Hubert zaczepił Panią Papugę, która skrzeczała wśród drzew.

– Dzień dobry, Pani Papugo. Widzę w Pani gnieździe wesołe pisklęta.

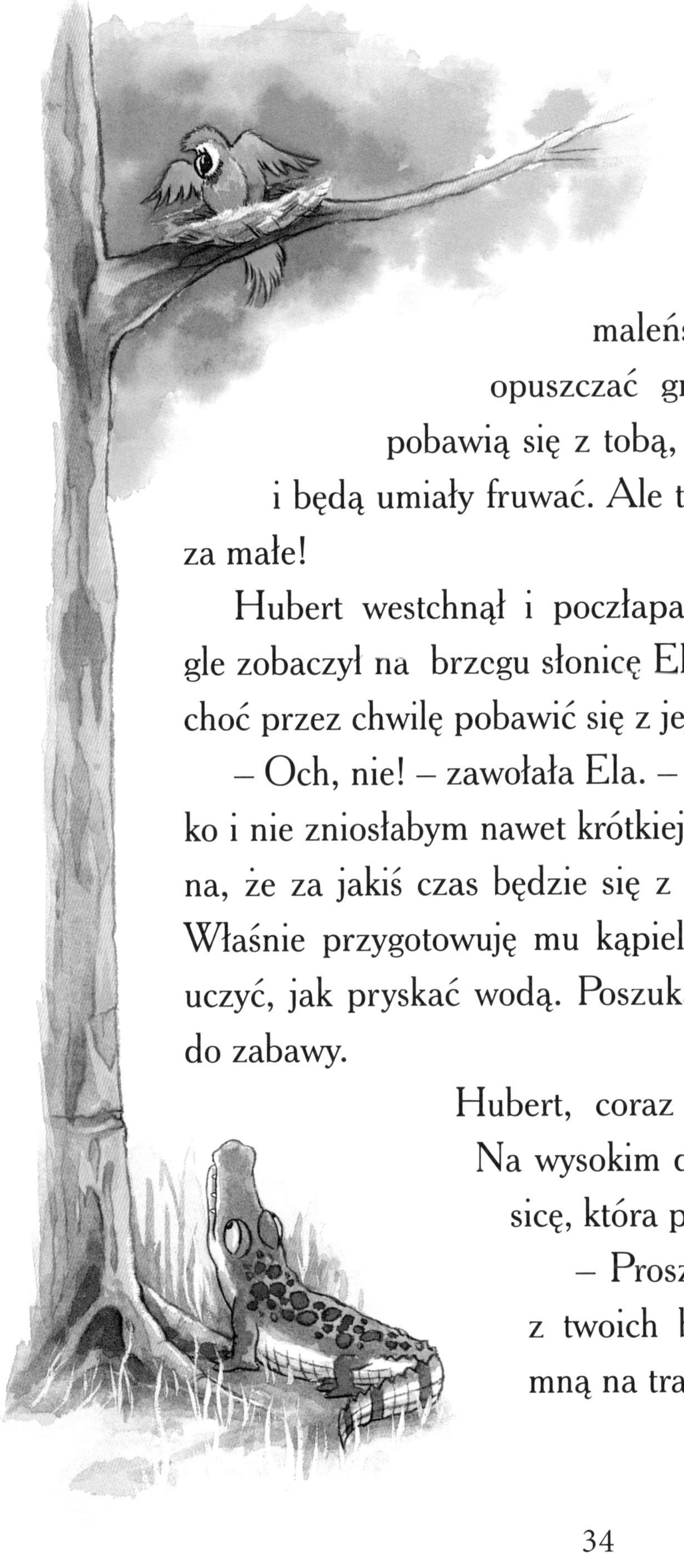

Czy jedno z nich mogłoby się ze mną pobawić?

– Nie, nie, nie – odpowiedziała Papuga. – Moje maleństwa są za młode, żeby opuszczać gniazdo. Jestem pewna, że pobawią się z tobą, jak tylko piórka im urosną i będą umiały fruwać. Ale teraz są za małe, stanowczo za małe!

Hubert westchnął i poczłapał dalej wzdłuż rzeki. Nagle zobaczył na brzegu słonicę Elę. Zapytał, czy nie mógłby choć przez chwilę pobawić się z jej synkiem.

– Och, nie! – zawołała Ela. – Mój synek to jeszcze dziecko i nie zniosłabym nawet krótkiej z nim rozłąki. Jestem pewna, że za jakiś czas będzie się z tobą bawił, ale nie dzisiaj. Właśnie przygotowuję mu kąpiel. A później muszę go nauczyć, jak pryskać wodą. Poszukaj sobie innego towarzysza do zabawy.

Hubert, coraz smutniejszy, ruszył dalej. Na wysokim drzewie dostrzegł szympansicę, która przyglądała mu się uważnie.

– Proszę, Klaro, pozwól jednemu z twoich bliźniaków pobawić się ze mną na trawie!

– Przykro mi, Hubercie – odpowiedziała szympansica – moim dzieciom podoba się tutaj na górze. Huśtają się na gałęziach i skaczą z drzewa na drzewo. Ale nie smuć się tak. Jestem pewna, że w końcu znajdziesz kogoś, kto się z tobą pobawi.

Krokodyl dotarł aż na skraj dżungli, a potem poszedł w góry, do jaskiń, w których żyły goryle.

– Dzień dobry! – zawołał. – Dzień dobry gorylątka! Pobawicie się ze mną? Proszę!

Ku zdziwieniu Huberta dwa gorylątka wybiegły z jaskini i bardzo się ucieszyły na jego widok. Maluchy zaczęły bawić się z Hubertem. Przez chwilę turlali się razem z górki, śmiejąc się i gilgocząc, ale nagle, przed jaskinią pojawiła się Mama Gorylica.

– Pośpieszcie się! Pora na kolację – zawołała.

– KOLACJA!

Gorylątka musiały przerwać zabawę i wrócić do jaskini.

– Do widzenia! – zawołały do Huberta. – Przyjdź tutaj wkrótce, to znów się pobawimy!

Krokodyl znowu został sam. Powoli wracał do domu. Pozdrowił szympansy i słonie. Pomachał do leopardów. Robiło się późno. Ciekawskie ślepia patrzyły na Huberta z ciemnych zarośli, gdy przemykał ścieżką nad brzeg rzeki.

– Szybko! – zakumkały żaby. – Pośpiesz się, Hubercie! Mama ma dla ciebie wspaniałą niespodziankę.

Hubert wspiął się po stromej skarpie do góry. Na szczycie czekała na niego uśmiechnięta mama.

– Zobacz, synku! – chrząknęła z dumą. – Patrz, co wykluło się z jajek.

Hubert przyglądał się z zachwytem. Nie mógł uwierzyć swoim oczom. Przed nim było dziesięć małych krokodylków.

Przysunął się, żeby lepiej im się przyjrzeć. Maluchy wygrzebywały się ze skorupek i patrzyły na niego ciekawie.

– Cześć, Hubercie – zawołało dziesięć krokodylich głosików. I natychmiast dziesięć maluchów zaczęło się na niego wspinać. Siadały mu na głowie, zjeżdżały po jego nosie i huśtały się na długim ogonie.

– Ale mnie łaskoczą! – śmiał się, gdy zobaczył czujny wzrok mamy pilnującej, żeby przypadkiem któryś z maluchów nie spadł z nosa Huberta albo nie ześlizgnął się w dół ze skarpy.

– Jesteś naszym wspaniałym starszym bratem – pisnął jeden z krokodylków.

– Pobawisz się z nami? – pisnął drugi.

– Tak! Prosimy! Prosimy, pobaw się z nami! – zaczęły piszczeć wszystkie maluchy.

Szczęśliwy Hubert uśmiechnął się tak, jak tylko krokodyle potrafią. Nareszcie miał braci i siostry, żeby się z nimi bawić. I prawdę mówiąc, miał ich więcej niż ktokolwiek w dżungli.

Stary rolnik farmę miał

Stary rolnik farmę miał.
Ija, ija, o!
Na farmie krówki hodował.
Ija, ija, o!
A te krówki muczą jak?
„Mu, mu" tu i „mu, mu" tam!
Wszędzie „mu" i ciągle „mu"!
„Mu, mu" tam i tu!
Stary rolnik farmę miał.
Ija, ija, o!

Stary rolnik farmę miał.
Ija, ija, o!
Na farmie owce hodował.
Ija, ija, o!
A te owce beczą jak?
„Bee" i „bee", „bee" i „bee"!
„Beeeee" przez cały dzień!
Tak beczą owce te.
Stary rolnik farmę miał.
Ija, ija, o!

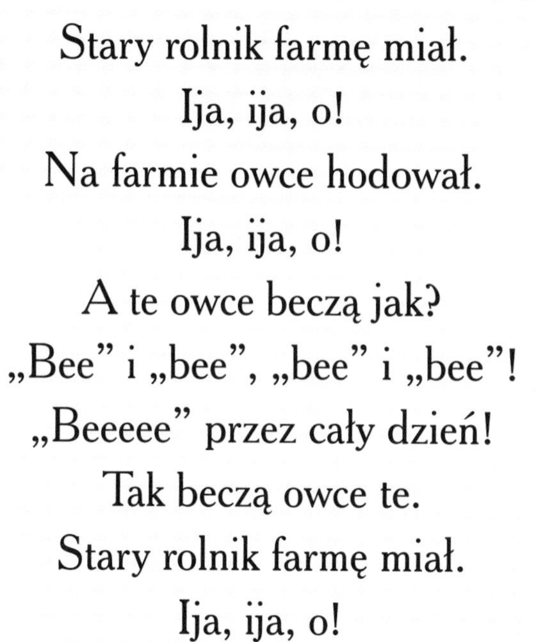

Stary rolnik farmę miał.
Ija, ija, o!
Na farmie konie hodował.
Ija, ija, o!
A jak te koniki rżą?
„Ihahaa! Ihahaa!"
„Ihaa" tu i „ihaa" tam!
Wszędzie „ihahaa"!
Stary rolnik farmę miał.
Ija, ija, o!

Stary rolnik farmę miał.
Ija, ija, o!
Na farmie świnki hodował.
Ija, ija, o!
A te świnki kwiczą jak?
„Kwi, kwi, kwi! Kwi, kwi, kwi!”
Wszędzie „kwi, kwi” brzmi!
„Kwi” przez całe dni!
Stary rolnik farmę miał.
Ija, ija, o!

Stary rolnik farmę miał.
Ija, ija, o!
Na farmie kaczki hodował.
Ija, ija, o!
A te kaczki kwaczą jak?
„Kwa, kwa, kwa! Kwa, kwa, kwa!”
„Kwa, kwa” tu i tam!
„Kwa, kwa” cały czas!
Stary rolnik farmę miał.
Ija, ija, o!

Księżniczka na ziarnku grochu

Dawno, dawno temu za górami, za lasami żył sobie piękny książę, który pragnął się ożenić. Ale nie chciał zostać mężem zwykłej dziewczyny. Pragnął pojąć za żonę prawdziwą księżniczkę!

Podróżował więc z miejsca na miejsce w poszukiwaniu odpowiedniej kandydatki, ale bez skutku, bo nie wiedział, jak odróżnić prawdziwą księżniczkę od tej, która ją tylko udaje. Podczas tych podróży młodzieniec spotkał mnóstwo księżniczek, ale żadna nie zdobyła jego serca. Jedne były za wysokie, a inne znów za niskie. Niektóre były zbyt głupiutkie, a niektóre za poważne. Spotkał nawet taką, która wydała mu się za ładna!

Po objechaniu świata wzdłuż i wszerz książę doszedł do wniosku, że nigdy nie spotka prawdziwej księżniczki, i strapiony wrócił do domu. Z dnia na dzień stawał się coraz bardziej nieszczęśliwy i coraz smutniejszy. Król i królowa bardzo się o niego martwili, ale nie wiedzieli, jak mu pomóc.

Niedługo potem, pewnej chłodnej deszczowej nocy, rozległo się pukanie do pałacowych bram. Stary król sam poszedł otworzyć drzwi. Można sobie wyobrazić, jakie było jego zdumienie, gdy zobaczył w progu przemokniętą, trzęsącą się z zimna dziewczynę.

– Wejdź do środka – powiedział król. – Kim jesteś? I dlaczego wędrujesz sama w taką okropną noc?

– Dobry wieczór, jestem księżniczką – odpowiedziała dziewczyna zdziwionemu królowi. – Obawiam się, że zabłądziłam w tej burzy. Czy mogłabym tutaj przenocować?

Król przyglądał się jej z niedowierzaniem, a książę uśmiechnął się, kiedy usłyszał jej melodyjny głos i zobaczył jej piękne oczy. Królowa zaś przyjrzała się uważnie przemoczonej sukience nieznajomej i jej potarganym włosom. „Wkrótce się przekonamy, czy jesteś prawdziwą księżniczką, czy nie" – pomyślała. „Jest jeden niezawodny sposób, żeby to sprawdzić". Ale nie powiedziała nikomu o swoim tajemniczym planie.

Cichutko, na palcach królowa weszła do pokoju gościnnego. Zdjęła z łóżka wszystkie koce i prześcieradła i ułożyła trzy maleńkie ziarnka grochu na materacu. Potem na ziarnka położyła dwadzieścia materaców jeden na drugim. A na nich dwadzieścia

puchowych kołder. Łóżko było tak wysokie, że biedna księżniczka potrzebowała drabiny, żeby się na nie wspiąć.

Następnego ranka królowa zapytała księżniczkę, jak jej się spało.

– Oj, prawie nie zmrużyłam oka – odpowiedziała księżniczka.

Wszyscy spojrzeli na nią zaciekawieni.

– Miałam okropną noc. W mojej pościeli było coś twardego i cała jestem posiniaczona.

Królowa wiedziała bardzo dobrze, że tylko prawdziwa księżniczka może poczuć trzy ziarnka grochu przez dwadzieścia materaców i dwadzieścia puchowych kołder. I wszyscy zgodzili się z królową, że nieznajoma jest prawdziwą księżniczką.

Książę bardzo się ucieszył, że w końcu znalazł prawdziwą, a w dodatku taką piękną, księżniczkę. Młodzi wkrótce się pobrali i żyli potem długo i szczęśliwie. A trzy ziarnka grochu oddano do królewskiego muzeum, gdzie można je oglądać i dzisiaj.

Prosiaczek Bratek

Jedno rozbrykane prosiątko może się wpakować w nie lada kłopoty. Dwa rozbrykane prosiątka to już podwójny problem! A wyobrażacie sobie, co potrafi zmalować sześć rozbrykanych prosiaczków? Biedna Pani Świnka nie musiała sobie tego wyobrażać. Od momentu gdy na świat przyszło sześcioro jej dzieci, cały czas miała z nimi kłopoty!

Pietrek po prostu kochał wtykać swój różowy ryjek wszędzie tam, gdzie nie powinien. Grosik uwielbiał wszystko badać! Tunio zawsze się gdzieś gubił. A Popek i Pipek próbowali zjadać najdziwniejsze rzeczy.

Był jeszcze Bratek, który pakował się w większe kłopoty niż cała pozostała piątka razem wzięta.

Bratek nie był wcale bardziej niegrzeczny niż Pietrek, nie był głupszy niż Popek i Pipek i na pewno nie był tak skory do poznawania świata jak Grosik czy Tunio. Dlaczego więc Pani Świnka musiała go upominać przynajmniej trzy razy dziennie?

Cóż, inne prosiaczki były jak ziarna grochu w strąku: rozbrykane, hałaśliwe i całe, od zakręconych ogonków do ciekawskich ryjków, tak samo różowe, więc bardzo, bardzo trudno było odróżnić jednego od drugiego.

Bratek był inny. Też różowy, ale z tyłu, obok ogonka, miał brązową plamkę, która wyglądała jak kwiat bratka!

Gdy Pani Świnka widziała cztery różowe prosiaczki pochylone nad korytem, wyjadające coś, czego nie powinny jeść, nie była pewna, czy to jej dzieci znowu psocą, dopóki nie dostrzegła na jednym różowym ciałku charakterystycznej brązowej plamki.

– Bratek! – wołała wtedy Pani Świnka. – Natychmiast odejdź od tego koryta! I wy też… eee… wy pozostali trzej!

Tak samo było wtedy, gdy Pani Świnka zobaczyła pięć prosiątek nurkujących w stawie i płoszących pluskające się w nim kaczątka. Cztery prosiaczki wyglądały identycznie. Ale jedno, które rozpryskując wodę, ćwiczyło styl pływania „na świnkę", miało znajomą ciemną plamkę obok ogonka.

– Bratek! – zakwiczała więc Pani Świnka. – Natychmiast wydź z tego stawu! I wy też… eee… wy pozostali czterej!

Kaczki, konie i kury przyzwyczaiły się do pokrzykiwania Pani Świnki przez cały dzień:

– Bratek! BRATEK! B-R-A-T-E-K!

Pozostałe rozbrykane prosiątka także się do tego przyzwyczaiły. Ale Bratek – nie. To nie było w porządku, że zawsze on był winny… tylko dlatego, że trochę różnił się od rodzeństwa.

Pewnego deszczowego dnia cała szóstka nudziła się bardzo w małym chlewiku.

– Idę zbadać ten deszcz! – zakwiczał Grosik. I wyszedł na zewnątrz.

– Zaczekaj na mnie! – zawołał Tunio, wybiegając za nim.

– Czy deszcz można jeść? – pisnęli Popek i Pipek i też pobiegli, żeby to sprawdzić.

– Potaplajmy się w kałużach! – zakwiczał Pietrek i pognał przed siebie.

A Bratek, który nie miał specjalnej ochoty na tę wycieczkę, ale nie chciał zostać sam, ruszył za nim.

Przez resztę poranka sześć mokrych, rozbrykanych prosiaczków świetnie się bawiło. A kiedy odkryły, że brzeg stawu to wielki błotnisty plac zabaw, nie mogły uwierzyć w swoje szczęście.

Ziuuu! Zjeżdżały po śliskim zboczu.

Plusk! Taplały się i chlupały.

Bęc! Turlały się i kręciły w miejscu.

Pani Świnka wyszła poszukać swoich dzieci, ale nie mogła ich nigdzie znaleźć. Za to znalazła sześć brudnych brązowych prosiaczków, całych pokrytych błotem.

Pani Świnka już otworzyła pyszczek, żeby krzyknąć… lecz zaraz go zamknęła. Nie była pewna, czy prosiaczki, które widzi, to jej dzieci. Przyglądała się, by dojrzeć znajomy brązowy znak w kształcie bratka, ale widziała tylko grube warstwy błota…

Świnka chciała się rozgniewać. Ale nawet gdy kawałek błota trafił ją w ucho, nie potrafiła się złościć, bo prosiaczki wyglądały tak zabawnie! Zaczęła więc się śmiać. I w końcu nie mogła się powstrzymać. Wskoczyła do błota, rozpryskując je na wszystkie strony.

– Kocham być ubłocony! – kwiczał Bratek.

– Ja też! – śmiała się Pani Świnka.

I rozbrykane, ubłocone prosiątka, które przez cały dzień biegały i świetnie się bawiły, uścisnęły swoją ubłoconą mamę.

 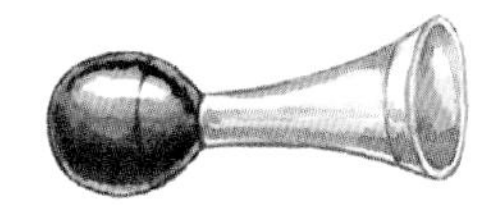  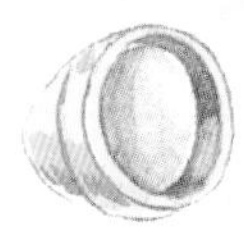

Koła autobusu

Koła autobusu kręcą się
W koło i w koło
Przez cały dzień.
Koła autobusu kręcą się
I autobus mknie.

Klakson autobusu trąbi wciąż:
Tru tu tu,
Tru tu tu.
Klakson autobusu trąbi wciąż
I autobus mknie.

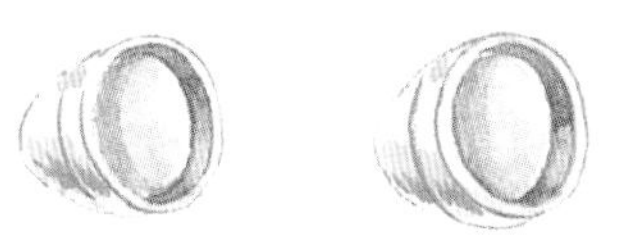

Mrugają migacze: mrug, mrug, mrug,
Mrug, mrug, mrug
Przez cały dzień,
Mrugają migacze: mrug, mrug, mrug
I autobus mknie.

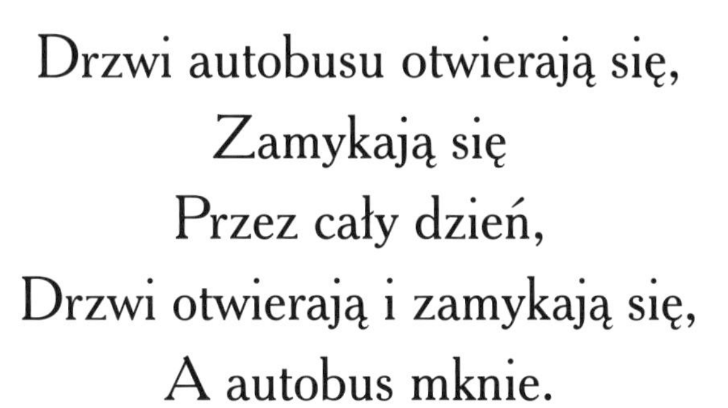

Drzwi autobusu otwierają się,
Zamykają się
Przez cały dzień,
Drzwi otwierają i zamykają się,
A autobus mknie.

Ludzie do autobusu wsiadają wciąż,
Wysiadają też,
Tak przez cały dzień,
Ludzie do autobusu wsiadają wciąż
I autobus mknie.

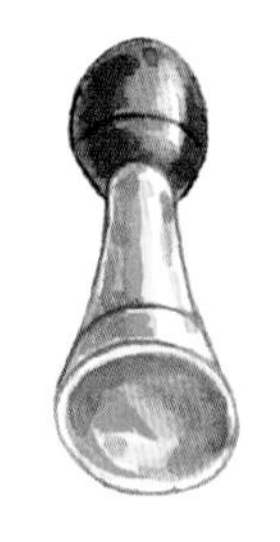

Ciocia Ośmiornica

W morskich głębinach mieszka Ciocia Ośmiornica. Gdy tylko jakieś dziecko jednego ze stworzeń żyjących w wodzie jest smutne lub nieszczęśliwe, odwiedza Ciocię, która ma tyle ramion, że może przytulić wiele maluchów naraz.

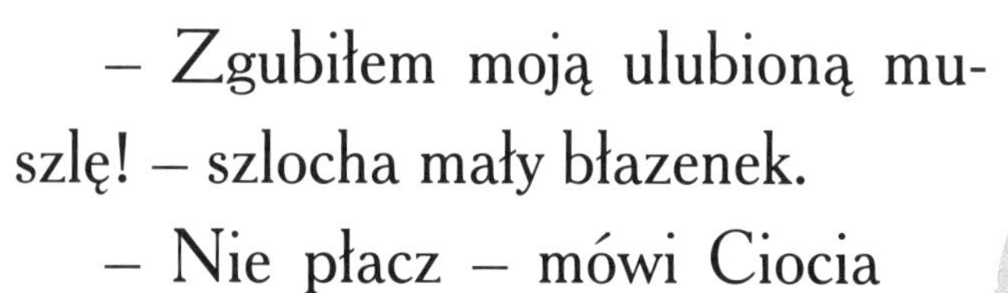

– Zgubiłem moją ulubioną muszlę! – szlocha mały błazenek.

– Nie płacz – mówi Ciocia Ośmiornica. – Dam ci nową.

I zaraz potem trzyma w jednej z macek śliczną różową muszlę, którą

znalazła we wnętrzu jaskini, i podaje ją błazenkowi. A on popycha muszlę swoim pyszczkiem, śmiejąc się i klaszcząc płetwami.

– Dziękuję! – woła błazenek i odpływa.

Mały krab Karol też jest nieszczęśliwy.

– Nie czuję się dobrze – mówi. – Swędzą mnie szczypce, a skorupka wydaje mi się za ciasna.

– Nie martw się – mówi Ciocia Ośmiornica. – Będziesz zmieniał skorupkę. Zrzucisz tę i za kilka dni utworzy się nowa. A wtedy znowu poczujesz się dobrze.

– Dziękuję – mówi

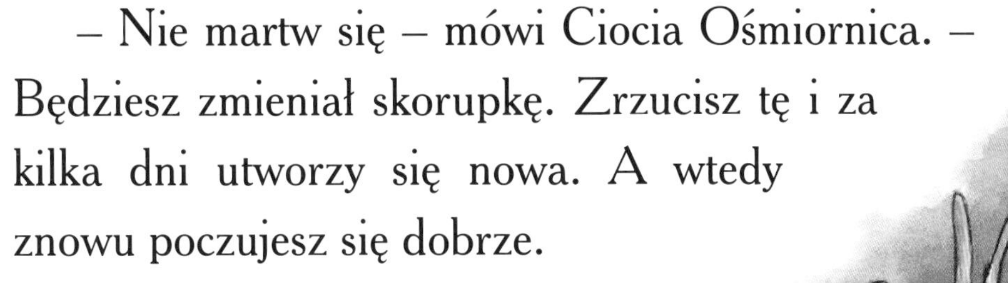

Karol, zadowolony, że wkrótce będzie miał nową skorupkę.

Mała rozgwiazda płacze od samego rana. Wielkie łzy spływają jej po buzi i kapią z jej ramion.

– Zgubiłam się! – szlocha. – Nie mogę znaleźć drogi do domu!

– Nie martw się! – mówi Ośmiornica, osuszając jej łzy miękką chusteczką z wodorostów. – Wiem, gdzie mieszkasz.

Wkrótce potem Ciocia Ośmiornica oddaje małą rozgwiazdę stęsknionym rodzicom.

Pewnego dnia do jaskini przypłynął delfinek Nurkuś, by zapytać, czy Ośmiornica nie pomoże mu odrobić zadania domowego. Wtedy też foka Sylwia postanowiła jej opowiedzieć o swojej bójce z bratem. A żółw Tymek poczuł się samotny i chciał, żeby go ktoś mocno przytulił.

– Ciociu Ośmiornico! Jesteś tam? – woła delfin Nurkuś.

– Ciociu! Gdzie jesteś? – niepokoi się foka Sylwia.

– Proszę, wyjdź do nas! – wtóruje im żółw Tymek.

Zwierzęta szukają wszędzie, ale Cioci Ośmiornicy nigdzie nie ma. Jej jaskinia jest pusta.

Nagle przed jaskinią pojawia się stary mors Mędrek, zaalarmowany tymi nawoływaniami.

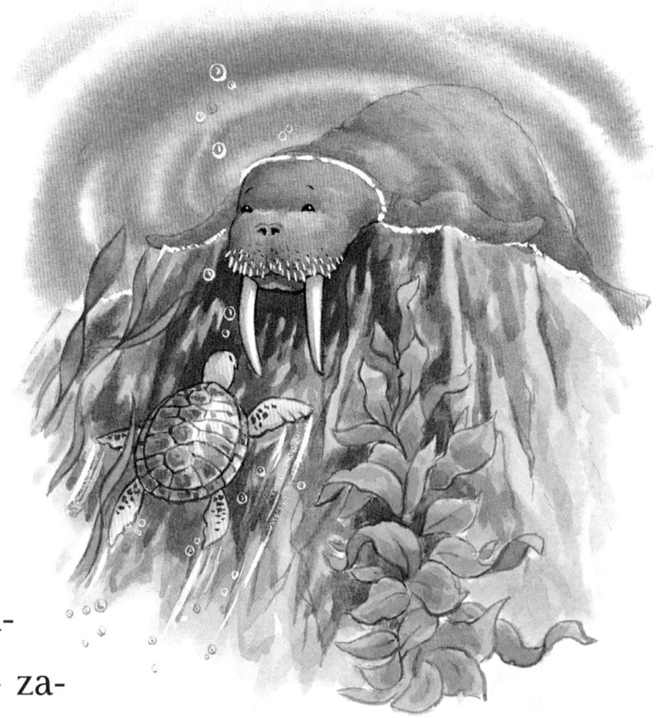

– Co się dzieje? – pyta.

– Ciocia Ośmiornica gdzieś przepadła – wyjaśnia delfin Nurkuś.

– Aha! – mówi głośno stary mors Mędrek. – Widziałem ją płynącą do wraku. Powinna już dawno wrócić.

– Może biedna Ciocia jest w tarapatach i potrzebuje naszej pomocy? – zastanawia się żółw Tymek.

I wszyscy płyną w stronę wraku.

Kiedy tak płyną, pojawia się rekin Zbig i chce się do nich przyłączyć.

– Odejdź! Mógłbyś nas zjeść! – piszczą Sylwia i Nurkuś.

– Ale ja tylko chcę pomóc – mówi rekin. – Ciocia jest też moją przyjaciółką, prawda?

I płynie dalej, trzymając się w tyle za całą grupą.

Gdy docierają wreszcie do wraku, widzą Ciocię Ośmiornicę złapaną w starą sieć rybacką. Im bardziej się w niej szamoce, próbując się uwolnić, tym bardziej jej ramiona się zaplątują.

– To wspaniale, że mnie znaleźliście! – woła z ulgą Ośmiornica na ich widok.

Żółw Tymek próbuje ją uwolnić, ale po chwili jego płetwy więzną w sieci.

Nurkuś wali ogonem w sieć, ale też się w nią zaplątuje.

Foka Sylwia próbuje ją przerwać, ale i ona zostaje w niej uwięziona.

– Przestańcie natychmiast! – krzyczy stary mors Mędrek. –

Jest tu ktoś, kto może rozwiązać problem. Zbliż się, Zbigu.

Rekin podpływa nieśmiało. A potem wygryza wielką dziurę w sieci. Ciocia Ośmiornica jest wolna!

Teraz ostre zęby Zbiga przecinają resztę sieci i pozostali też są wolni.

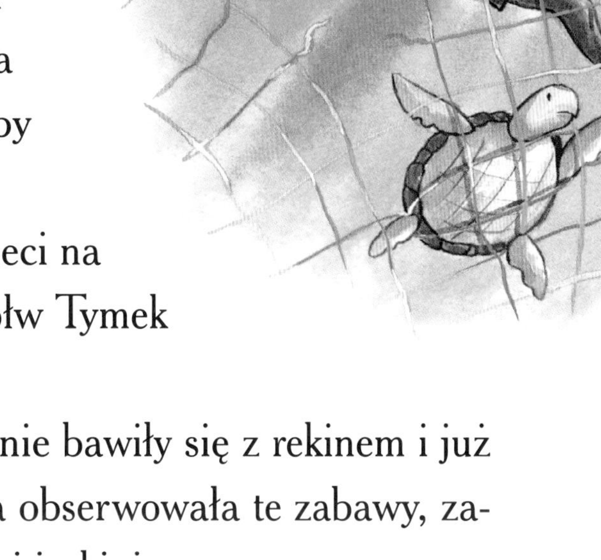

Ciocia Ośmiornica wyjaśnia:

– Popłynęłam, żeby znaleźć prezent, który rozweseliłby naszego Zbiga. Nie jesteście dla niego zbyt mili, prawda?

– Boimy się twoich wielkich ostrych zębów – wyjaśnia foka Sylwia rekinowi. – Ale dziś twoje ostre zęby bardzo się nam przydały!

– Bez ciebie utknęlibyśmy w tej sieci na zawsze! – dodaje delfin Nurkuś, a żółw Tymek potakuje głową.

Odtąd morskie zwierzęta codziennie bawiły się z rekinem i już się go nie bały. A Ciocia Ośmiornica obserwowała te zabawy, zadowolona, i machała do nich ze swojej jaskini.

Raz, dwa, trzy, cztery, pięć

Raz, dwa, trzy, cztery, pięć,
Złowiłem rybkę, która rusza się.
Sześć, siedem, osiem, dziewięć i dziesięć,
Wypuściłem rybkę, niech ją woda niesie...

Kurki trzy

Wyszły w pole kurki trzy
I gęsiego sobie szły.
Pierwsza przodem, w środku druga,
Trzecia z tyłu oczkiem mruga.
I tak sobie kurki trzy
Raz, dwa! Raz, dwa! W pole szły!

A pod stogiem ziarnka są,
Zjadły kurki ziarnek sto.
Myśli sobie każda kurka –
„Po co wracać na podwórko?
Smaczne ziarnka tutaj są,
Nie na próżno więc się szło".

Calineczka

Dawno temu żyła sobie kobieta, która bardzo pragnęła mieć dziecko. Mijały lata, a kobieta wciąż była sama. Poszła więc któregoś dnia do czarownicy, a ta dała jej ziarenko i kazała zasadzić je w doniczce.

Niedługo potem z ziarenka wyrósł piękny kwiat. Jego płatki były jednak szczelnie zamknięte, ale gdy kobieta je pocałowała, od razu się otworzyły, ukazując znajdującą się w środku maleńką śliczną dziewczynkę. Była nie większa od kciuka, więc szczęśliwa kobieta postanowiła dać jej na imię Calineczka.

Zrobiła dla córeczki łóżeczko ze skorupy orzecha, a liść róży dała jej za kołderkę. Dziewczynka spała więc w tym łóżeczku w nocy, a w ciągu dnia bawiła się na stole.

Pewnego razu wstrętna ropucha wskoczyła na stół, na którym spała Calineczka.

– REEEECH! – zaskrzeczała zadowolona. – Ta

REEEECH!

mała będzie świetną narzeczoną dla mojego syna.

Zaraz potem ropucha chwyciła śpiącą Calineczkę i zabrała ją do swojego domu na bagnach.

– REEECH! REEECH! – zaskrzeczał jej brzydki syn, gdy zobaczył śliczną Calineczkę.

– IIIIEEEJ – pisnęła Calineczka, gdy zobaczyła dwie wstrętne ropuchy. – Ojej! – jęknęła, kiedy ropucha matka wyjaśniła, że chce, by Calineczka poślubiła jej brzydkiego syna.

Ropucha, obawiając się, że Calineczka będzie próbowała uciec, zostawiła ją na liściu lilii wodnej, unoszącym się na rzece. Nieszczęśliwa Calineczka płakała więc i płakała. Słysząc jej płacz, małe rybki wystawiły łebki z wody. Zachwycone urodą maleńkiej dziewczynki, postanowiły jej pomóc. Tak długo gryzły łodygę, która przytrzymywała liść lilii, aż ją przegryzły, a liść odpłynął, unoszony prądem rzeki.

Calineczka, szczęśliwa, że udało jej się uciec od wstrętnej ropuchy, płynęła i płynęła, aż któregoś dnia zawiał tak mocny wiatr, że porwał dziewczynkę w powietrze i zaniósł na brzeg.

Przez całe lato Calineczka radziła sobie sama w lesie. Ale kiedy przyszła zima, zaczęła odczuwać głód i chłód. Opuściła więc las i ruszyła na pola. Nie szła długo, gdy trafiła na drzwi i zapukała do nich. Otworzyła jej polna mysz. Zmarznięta Calineczka poprosiła o coś do jedzenia. Na szczęście polna mysz polubiła dziewczynkę i pozwoliła jej zamieszkać w swoim przytulnym domku.

Gdy upłynęło już trochę czasu, polna mysz opowiedziała Calineczce o swoim sąsiedzie, krecie.

– To prawdziwy bogacz. Byłoby cudownie, gdybyś go poślubiła. Oczywiście jest ślepy, więc będziesz musiała go zauroczyć swoim pięknym głosem.

Ale po spotkaniu z kretem Calineczka wcale nie chciała go poślubić. Rzeczywiście był bogaty, ale nie lubił światła słonecznego ani kwiatów. Niestety, kret zakochał się w Calineczce, gdy tylko usłyszał jej słodki głos. Nie pytając więc dziewczynki o zdanie, polna mysz i kret podjęli decyzję, że Calineczka wyjdzie za niego za mąż.

Kret wykopał tunel między obydwoma domami i któregoś dnia oprowadził po nim Calineczkę. W połowie tunelu kret odsunął łapką z drogi martwego ptaka.

– Głupstwo – mruknął. – Ta jaskółka musiała tu trafić na początku zimy.

Calineczce zrobiło się żal ptaka, ale nic nie powiedziała. Później, kiedy polna mysz już spała, Calineczka wślizgnęła się do tunelu.

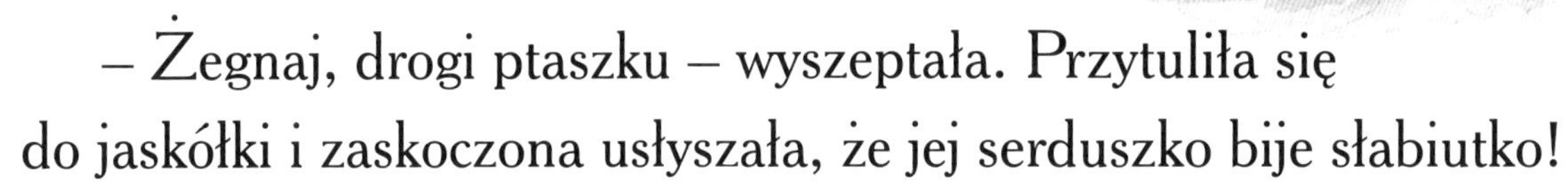

– Żegnaj, drogi ptaszku – wyszeptała. Przytuliła się do jaskółki i zaskoczona usłyszała, że jej serduszko bije słabiutko!

Przez resztę zimy Calineczka opiekowała się ptaszkiem i dzięki niej jaskółka bardzo szybko wracała do zdrowia. Gdy nadeszła wiosna, Calineczka po kryjomu wyprowadziła ją z tunelu.

– Żegnaj – westchnęła Calineczka, kiedy ptak poszybował w niebo.

Czas mijał szybko i wkrótce nadszedł dzień ślubu Calineczki.

Pragnąc po raz ostatni zobaczyć piękny i kolorowy świat, zanim zamieszka w ponurym podziemnym domu kreta, dziewczynka wyszła na pole.

– Ćwir, ćwir – doleciał do niej dźwięk z góry. To była pielęgnowana przez Calineczkę zimą jaskółka.

Widząc, jak nieszczęśliwa jest jej opiekunka i jaki smutny los ją czeka, powiedziała:

– Lecę na zimę do ciepłych krajów. Leć ze mną. Zabiorę cię tam na moim grzbiecie.

Calineczka zgodziła się bez wahania i wkrótce znalazła się w cudownej krainie, gdzie było pięknie i ciepło. Jaskółka posadziła dziewczynkę na płatkach kolorowego kwiatu. Jakież było zdumienie Calineczki, gdy w jego wnętrzu zobaczyła małego mężczyznę ze skrzydełkami. Kwiatowy duszek od razu zakochał się w malutkiej Calineczce i poprosił ją o rękę. A Calineczka, oczarowana, zgodziła się od razu.

W dniu ślubu Calineczka dostała różne prezenty. Najwspanialszym była para małych skrzydełek.

Odtąd używała ich do latania od kwiatu do kwiatu i była najszczęśliwsza na świecie!

Dżungla, dżungla!

Dżungla pełna jest różnych odgłosów:
„Skuo! Skuo!" – Kto to?

To kolorowy ptak, którego grzbiet pokrywają lśniące pióra, a błyszczący długi ogon zwisa w dół. Ma zakrzywiony dziób i oczy jak paciorki.

– Skuo! Skuo! Jestem papuga ara, a co! – mówi dumnie ptak.

Dżungla pełna jest różnych odgłosów:
„Kum! Kum!" – Kogo mamy tu?

To śliski, pokryty śluzem płaz o lśniącej skórze i dużych, uważnych oczach. Jego łapki są lepkie. Dzięki nim może się szybko wspinać po drzewach.

– Kum! Kum! Jestem żaba, tu na pniu! – mówi dumnie żaba drzewna.

Dżungla pełna jest różnych odgłosów:
„U-u! U-u!" – A kogo mamy tu?

To wielki ssak z dużymi oczami i długim czerwonawym futrem. Lubi jeść owoce i liście, a większość czasu spędza w koronach drzew.

– U-u! U-uch! Jestem orangutan zuch! – mówi dumnie orangutan.

Dżungla pełna jest różnych odgłosów:
„Ssss! Ssss!" – Kto to jessst?

To długi gad o pokrytej łuskami skórze. Wije się i skręca, prześlizguje wśród trawy. Ma bystre oczy i co chwila wysuwa swój rozdwojony język.

– Ssss! Ssss! Jesssstem wąż, tak jessst! – syczy dumnie wąż bagienny.

Dżungla pełna jest różnych odgłosów:
„Chlup! Chlup!" – Kto zmierza tu?

Tych odgłosów nie znają mieszkańcy dżungli. Są przestraszeni, ale też trochę zaciekawieni...

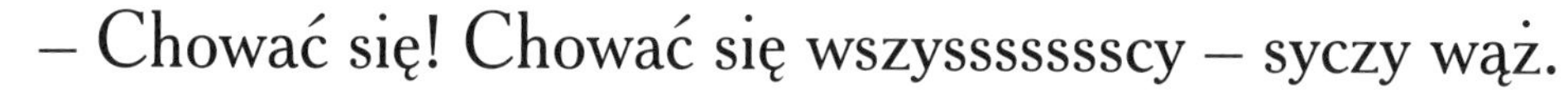

– Chować się! Chować się wszyssssssscy – syczy wąż.

– Czekajcie! – woła orangutan – Kto to może być? Przekonajmy się!

– Mamy czekać? I co? I wpaść w paszczę krokodyla? – skrzeczy ara.

– Czekać i dać się rozerwać kłom leoparda? – kumka żaba drzewna.

– Spokojnie! – odpowiada orangutan. – Naprawdę chcę się przekonać, kto to jest. A wy nie?

I wszyscy czekają, aż w końcu na polanie pojawia się dwunożny, dwuręczny ssak, ubrany na zielono. Stoi i rozgląda się na wszystkie strony, jakby czegoś szukał.

– U-u, w porządku – szepcze orangutan. – Schowajmy się teraz wszyscy. U-u! U-u! NATYCHMIAST!

Ara chowa się wysoko w koronie drzewa.

Żaba drzewna kryje się nisko pod lepkim liściem.

Wąż skręca się w bagnie.

A orangutan, ile tylko ma siły w ramionach, wspina się na drzewo.

Chlup! Chlup! Słychać kroki myśliwego. Chlup! Jest już bardzo blisko!

– Głęboki wdech... Wszyscy razem, teraz!

– Pomocy! Ratunku! – krzyczy przestraszony myśliwy.

Orangutan widzi, jak myśliwy ucieka, i woła jeszcze głośniej do swoich przyjaciół:

– Głęboki wdech… wszyscy i… razem, teraz!

– Skuo! U-u! Kum! Ssss! Skuo! U-u! Kum! Ssss! – wołają wszystkie zwierzęta.

Słychać pośpieszne kroki chlupocące w błocie. Chlup, chlup, chlup. Kroki szybko się oddalają. I po chwili rozlegają się znowu znane i radosne odgłosy dżungli.

– Skuo! U-u! Kum! Ssss! Ha! Ha! Ha!

Piosenka za trzy grosze

Piosenka za trzy grosze,
Kieszeń od monet jest ciasna;
Dwadzieścia cztery wrony
Wpadły w kuchni do ciasta.

Gdy ciasto zaczęto kroić,
Bo było już rumiane,
Wrony zaczęły krakać,
Czy to królewskie danie?

Król bawił się liczydłem
I liczył swoje skarby;
Królowa na salonach,
Do chleba chciała musztardy.

Gosposia była w ogrodzie,
Gdzie pranie rozwieszała;
Wtem przyleciała wrona
I w nos ją udziobała.

Julka i Jurek

Julka i Jurek
Weszli na pagórek,
By nabrać wody ze studni;
Jurek spadł nagle,
Z górki na pazurki,
A Julka za nim – aż dudni.
Po chwili Jurek wstał
I szybko pognał do domu,
Do łóżka wskoczył
I zamknął oczy –
Nie powie o tym nikomu.

Radek i Tadek

Radek i Tadek to polarne misie. Żyją na Dalekiej Północy, tam gdzie wieją mroźne wiatry i pada gęsty śnieg. Jednak Radek i Tadek nie narzekają na taką pogodę. Biegają, rzucają śnieżnymi kulkami, tarzają się w miękkim puchu i jeżdżą na łapkach jak na łyżwach. Mogą przez cały dzień bawić się w berka lub turlać po śnieżnych

zboczach. Śmieją się, przewracają, żeglują na krach i pływają w granatowym morzu. Są bardzo szczęśliwymi małymi misiami.

– Posłuchaj tego! – woła Radek, uderzając patykiem w rządek sopli.

– A ty posłuchaj tego! – woła Tadek i krzyczy: – Echo! Echo! – w głąb lodowej jaskini.

A echo odpowiada:

– Eeeechooo! Eeeechooo!

– Posłuchajcie teraz tego! – wołają Radek i Tadek razem, a ich głosy słychać z daleka, gdy śpiewają piosenkę niedźwiedzi. Wytupują rytm i kręcą się w kółko, raz i dwa, na śniegu.

– To jest zabawa! – śmieje się Radek.

– Wspaniała zabawa! – wtóruje mu Tadek.

– Popatrz na to! – krzyczy Radek i podskakuje, żeby złapać największy płatek śniegu, jaki kiedykolwiek widziano.

– Popatrz na to! – wtóruje mu Tadek, przeskakując nad szczeliną w lodzie.

– Popatrzcie na nas! – wołają razem Radek i Tadek, śmiejąc się głośno, gdy ześlizgują się szybko w dół z lodowego wzniesienia.

Plusk! Plusk! Dwa misie wpadają do lodowatej wody.

– To dopiero zabawa! – śmieje się Radek.

– Wspaniała zabawa! – śmieje się Tadek.

Futerka misiów są miękkie, grube i milutkie. Dzięki nim przez cały dzień niedźwiadkom jest ciepło, niezależnie od tego, jak mroźny wieje wiatr i jak gęsty pada śnieg.

W zimnym powietrzu widać ich parujące oddechy, gdy maluchy biegną w kierunku morza.

– Jestem zmęczony! – woła zasapany Radek.

– Ja też – mówi Tadek.

– Usiądźmy i odpocznijmy chwilę! – proponuje Radek.

– Świetny pomysł – odpowiada Tadek.

Dwa niedźwiadki rozglądają się dookoła.

– Ta wielka szara skała wygląda na świetne miejsce do odpoczynku! – mówi Radek, pokazując na kształt, który wynurza się z wody.

– O tak – mówi Tadek – jest wystarczająco duża i gładka.

Radek i Tadek wskakują na wielką szarą skałę, by trochę odpocząć, zanim znowu zaczną się bawić.

– To dobra skała! – mówi Tadek.

– To wspaniała skała! – śmieje się Radek.

– Nie przypominam sobie, żebym ją tu widział wcześniej! – dodaje Tadek.

– Fakt! – mówi Radek. – Musi być nowa.

– Jestem bardzo śpiący! – woła, ziewając, Radek.

– I ja też – ziewa Tadek.

Dwa niedźwiadki przeciągają się i siadają, opierając się o siebie plecami. A potem układają się wygodnie jeden obok drugiego i obserwują szumiące fale...

Najpierw kleją się oczy Radka. Później zamykają się oczy Tadka.

Po chwili oba niedźwiadki smacznie śpią. Niebo robi się czarne, pojawiają się na nim pierwsze gwiazdy i wschodzi duży srebrny księżyc.

Nagle szara skała zaczyna się ruszać. Wypływa na głęboki zimny ocean. Mija kry lodowe, przecina fale. Dostojnie sunie po ścieżce, którą tworzy na wodzie światło księżyca. Tak naprawdę szara skała wcale nie jest skałą.

To olbrzymi wieloryb, który obudził się i postanowił popływać! Nie ma pojęcia, że niesie na grzbiecie dwa śpiące misie. W pewnym momencie wieloryb decyduje się zanurkować. Obmywa go lodowata woda...

– Aj! – krzyczy Radek, budząc się w morzu.

– Aj! – krzyczy Tadek, kiedy fala uderza go w pyszczek.

Dwa misie unoszą się w zimnej wodzie i mają bardzo daleko do domu.

– Jej! – krzyczą oba naraz. – Ojejku!!!

Wieloryb słyszy krzyki niedźwiadków i wypływa na powierzchnię.

– Co wy tutaj, misie, robicie po nocy? – pyta zdumiony.

– Nie wiem! – mówi Radek.

– Ja też nie wiem! – dodaje Tadek.

– Nie wiemy! – mówią razem Radek i Tadek i zaczynają pochlipywać.

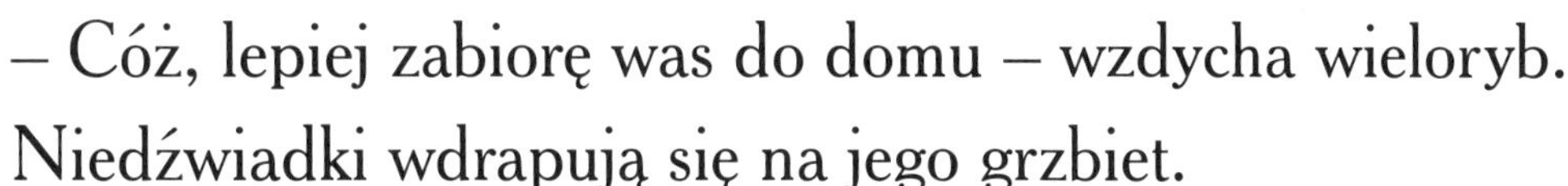

– Cóż, lepiej zabiorę was do domu – wzdycha wieloryb.

Niedźwiadki wdrapują się na jego grzbiet.

– Twój grzbiet wygląda jak szara skała, na której siedzieliśmy – mówi Radek.

– Myślę, że twój grzbiet JEST szarą skałą, na której siedzieliśmy – mówi Tadek.

Gdy misie znów czują się bezpiecznie, cieszą się z tej przejażdżki w świetle księżyca.

– To dopiero zabawa! – śmieje się Radek.

– Wspaniała zabawa! – wtóruje mu Tadek.

– Dziękujemy! – wołają potem razem, gdy już znowu są w domu. Mama niedźwiedzica cieszy się widząc, że jej małe niedźwiadki są całe i zdrowe. Wdzięczna, tuli wieloryba w prawdziwym uścisku niedźwiedzi polarnych. Olbrzym odpływa, machając do nich wielkim ogonem.

– Do widzenia! – woła Radek.

– Do widzenia! – wtóruje mu Tadek.

– Szerokiej drogi! – wołają misie.

Piernikowy Ludzik

Dawno, dawno temu w dalekiej krainie żyli sobie staruszek i staruszka. Oboje byli bardzo szczęśliwi, martwiło ich tylko to, że nie mają dzieci. Dlatego pewnego dnia ulepili z piernikowego ciasta małego ludzika. Oczka i nos zrobili mu z rodzynków, a usta z kawałka pomarańczowej skórki. A potem włożyli ciasto do piekarnika.

Po pewnym czasie staruszka otworzyła piekarnik i… wyskoczył z niego… Piernikowy Ludzik. Gdy tylko dotknął podłogi, zaczął uciekać.

– Wracaj! Wracaj! – krzyczeli staruszkowie, biegnąc za nim tak szybko, jak mogli. Ale Piernikowy Ludzik śmiał się tylko i wołał:

– Biegnij, biegnij, jak szybko się da!
Ale złapać mnie nikt nie ma szans,
Bo Piernikowy Ludzik to ja!

Staruszkowie nie potrafili go dogonić, więc zrezygnowali z pościgu. Piernikowy Ludzik jednak biegł dalej, aż spotkał krowę.

– Muu – zaryczała krowa – zatrzymaj się! Mam ochotę cię zjeść.

– Ha – zawołał Piernikowy Ludzik – uciekłem staruszkowi i staruszce, a teraz ucieknę i tobie!

Krowa zaczęła gonić Piernikowego Ludzika przez pole, ale Piernikowy Ludzik był szybszy i powtarzał:

– Biegnij, biegnij, jak szybko się da! Ale złapać mnie nikt nie ma szans, bo Piernikowy Ludzik to ja!

Krowa nie potrafiła go dogonić, więc dała za wygraną, a Piernikowy Ludzik biegł dalej i dalej, aż spotkał konia.

– Iiihaaha – zarżał koń. – Zatrzymaj się! Mam ochotę cię zjeść.

– Ha!– zawołał Piernikowy Ludzik – uciekłem staruszkowi, staruszce i krowie, a teraz ucieknę i tobie!

Koń pognał za nim galopem, ale Piernikowy Ludzik biegł coraz szybciej i tak podśpiewywał:

– Biegnij, biegnij, jak szybko się da!
Ale złapać mnie nikt nie ma szans,
Bo Piernikowy Ludzik to ja!

Zmęczony koń zrezygnował z pogoni, a Piernikowy Ludzik biegł wciąż dalej, aż dotarł do placu zabaw pełnego dzieci.

– Hej! Piernikowy Ludziku – zawołały – zatrzymaj się! Chcemy cię zjeść.

– Ha! Uciekłem staruszkowi, staruszce, krowie i koniowi, a teraz ucieknę też wam – odpowiedział im Piernikowy Ludzik.

Dzieci zaczęły go gonić, ale nie miały szans – Piernikowy Ludzik był od nich o wiele szybszy!

A biegnąc, wołał tak:

– Biegnij, biegnij, jak szybko się da!
Ale złapać mnie nikt nie ma szans,
Bo Piernikowy Ludzik to ja!

Gdy nie było już widać dzieci, Piernikowy Ludzik zatrzymał się, bardzo z siebie zadowolony. „Nikt mnie nigdy nie zje – pomyślał – bo jestem najsprytniejszy na świecie!"

Ruszył dalej i po chwili znalazł się nad brzegiem rzeki. Zaczął się zastanawić, jak dostać się na drugą stronę, a wtem z krzaków wyszedł lis i stanął przed Piernikowym Ludzikiem.

– Uciekłem staruszkowi, staruszce, krowie, koniowi i dzieciom, a teraz ucieknę też tobie – zawołał Piernikowy Ludzik, patrząc na lisa.

– Nie chcę cię zjeść – zaśmiał się lis. – Chciałem tylko pomóc ci przedostać się przez rzekę. Możesz wskoczyć na mój ogon, a ja przeniosę cię bezpiecznie na drugi brzeg.

– Dobrze – powiedział Piernikowy Ludzik i bez chwili wahania wskoczył na lisią kitę. Gdy lis odpłynął już trochę od brzegu, odwrócił się do Piernikowego Ludzika i rzekł:

– Mój ogon się zmęczył. Może przeskoczysz mi na grzbiet?

I Piernikowy Ludzik tak zrobił.
Po chwili lis znowu zwrócił się do niego:
– Zamoczysz się. Lepiej wskocz mi na głowę!
I tym razem Piernikowy Ludzik posłuchał lisa.

Chwilę później zwierzak znowu się odezwał:

– Jest coraz głębiej. Szybko, przeskocz na mój nos, bo inaczej się zamoczysz.

Piernikowy Ludzik tak zrobił i zanim się spostrzegł, lis podbił go nosem do góry i połknął.

Biedny Piernikowy Ludzik nie był wcale tak sprytny, jak mu się wydawało. Prawda, dzieci?

Słoneczko już gasi złoty blask

Słoneczko już gasi złoty blask,
Za chwilę niebo błyśnie czarem gwiazd.
Dobranoc...
Dobranoc...
Dobranoc już...

Jasna gwiazdka na niebie świeci

Jasna gwiazdka na niebie świeci,
Pierwszą gwiazdkę widzą wszystkie dzieci.
Wymyślam życzenie szybciutko,
Spełnij je gwiazdko już jutro!

Chusiu, chusiu, dziecko

Chusiu, chusiu,
Na gałęzi drzewa
Kołyska się buja,
Kiedy wiatr zawiewa.
Nie wiej wietrze tak mocno,
Bo spadnie z kołyską,
Chusiu, chusiu, dziecko,
A razem z nim – wszystko.